顽皮老鼠的故事

[英] 毕翠克丝·波特/著　　孙静/译

西南师范大学出版社

图书在版编目（CIP）数据

顽皮老鼠的故事 /（英）毕翠克丝·波特著；孙静
译. -- 重庆：西南师范大学出版社，2016.8
（彼得兔和他的朋友们）
ISBN 978-7-5621-8085-2

Ⅰ. ①顽… Ⅱ. ①毕… ②孙… Ⅲ. ①儿童文学—图
画故事—英国—现代 Ⅳ. ①I561.85

中国版本图书馆 CIP 数据核字（2016）第 163975 号

顽皮老鼠的故事
wanpi laoshu de gushi

[英]毕翠克丝·波特/著　　孙静/译

责任编辑： 胡秀英
装帧设计： 甘　霖
出版发行： 西南师范大学出版社
地址：重庆市北碚区天生路 2 号
邮编：400715
网址：www.xscbs.com
经　　销： 全国新华书店
印　　刷： 湖北楚天传媒印务有限责任公司
开　　本： 710 mm×1000mm　　1/16
印　　张： 2.75
字　　数： 22 千字
版　　次： 2016 年 8 月第 1 版
印　　次： 2017 年 3 月第 2 次印刷
书　　号： ISBN 978-7-5621-8085-2

定　价：12.00 元

☆ ☆ ☆

序　言

　　"彼得兔"系列故事的作者是英国女性作家暨插画家毕翠克丝·波特（Helen Beatrix Potter）。故事诞生于波特写给她家庭教师五岁儿子的信。这位家庭老师的儿子卧病在床，波特为了安慰他，在信中讲了这个故事，并且在故事当中鼓励他。

　　波特姐弟小的时候收养了许多小动物，有兔子、蜥蜴、青蛙、蛇、睡鼠、狗、刺猬等，每个动物都有一个名字。波特以她特有的绘画天赋和对艺术的敏感，用好玩的故事和生动可爱的图画记录了动物们在成长中发生的故事，这些小动物后来就成了"彼得兔"系列故事中的各种角色，并最终成就了"彼得兔"系列故事的辉煌。

　　本丛书内容从孩子的角度出发，文字流畅清新且富于童趣，读起来朗朗上口，有助于培养孩子对故事阅读的兴趣，以及增强孩子对故事的理解和记忆能力，让孩子在故事中享受童年的快乐！

CONTENTS

目　录

顽皮老鼠的故事 …………………………… 1

裁缝和小老鼠的故事 ………………… 19

顽皮老鼠的故事

hěn jiǔ yǐ qián　　yí zuò
很久以前，一座
fáng zi li yǒu yí gè piào liang de
房子里有一个漂亮的
wán jù xiǎo wū　　wán jù xiǎo wū
玩具小屋。玩具小屋
yǒu hóng sè de zhuān qiáng　bái sè
有红色的砖墙、白色
de chuāng hu　　chuāng hu shang pèi
的窗户，窗户上配
yǒu mián bù chuāng lián　　zhè ge
有棉布窗帘。这个

xiǎo wū yǒu yí shàn kāi zhe de qián mén　　fáng dǐng shang hái yǒu yí gè yān cōng
小屋有一扇开着的前门，房顶上还有一个烟囱。
zài zhè ge wán jù xiǎo wū li zhù zhe liǎng gè yáng wá wa　　tā men yí gè míng
在这个玩具小屋里住着两个洋娃娃，她们一个名
jiào lù xīn dá　　yí gè míng jiào jiǎn
叫露辛达，一个名叫简。

1

露辛达虽然住在这个玩具小屋里，但她从不收拾自己的房间。简是玩具小屋里的厨师，可她从来没有做过一次饭，因为她们总是从外面买现成的食物。这些食物装在一个铺满刨花的盒子里。

露辛达和简买的"食物"是两只红彤彤的虾、一块火腿、一条鱼、一个布丁,还有几个梨和橙子。这些"食物"并不能从盘子上拿下来吃,可是看上去非常漂亮。

3

yì tiān zǎo shang
一天早上，
lù xīn dá hé jiǎn chū mén
露辛达和简出门
le fáng jiān li jìng qiāo
了。房间里静悄
qiāo de méi yǒu yí gè
悄的，没有一个
rén bù jiǔ qiáng jiǎo chuán lái yí zhèn pī pī pā pā de shēng yīn yuán
人。不久，墙角传来一阵"噼噼啪啪"的声音。原
lái qiáng bǎn xia yǒu yí gè xiǎo dòng yì zhī xiǎo lǎo shǔ xiàng dòng wài tàn chū
来，墙板下有一个小洞。一只小老鼠向洞外探出
tóu sì chù zhāng wàng tā jiào dà mǔ zhǐ
头四处张望，他叫大拇指。

几分钟后，大拇指的妻子蒙卡也把头探出了洞外。看到房间里没有人，蒙卡大胆地钻出墙板下的鼠洞，然后站到了煤箱底下铺的油布上。

玩具小屋在这个房间的壁炉对面。大拇指和妻子小心翼翼地穿过壁炉前的地毯，来到玩具小屋的门前，他们发现门没有关紧。

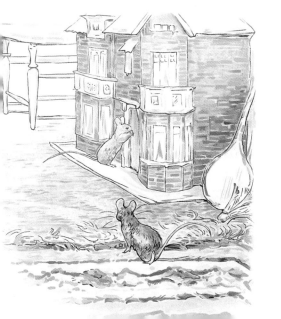

两只小老鼠跑上楼，走进了餐厅。啊，他们不禁快乐得尖叫起来！多丰盛的晚餐啊！桌上备有锡质的汤匙、铅质的刀叉，旁边还有两把小娃娃座椅。一切都准备得完美无缺！

dà mǔ zhǐ zuò dào xiǎo yǐ zi
大拇指坐到小椅子

shang lì kè kāi shǐ dòng shǒu qiē nà kuài
上，立刻开始动手切那块

huǒ tuǐ kě shì gāng yí yòng lì cān
火腿。可是，刚一用力餐

dāo jiù duàn le ér qiě hái nòng shāng le
刀就断了，而且还弄伤了

tā de shǒu zhǐ tā lián máng jiāng shòu shāng de shǒu zhǐ fàng jìn zuǐ li xī shǔn zhe
他的手指。他连忙将受伤的手指放进嘴里吸吮着。

dà mǔ zhǐ shēng qì de shuō
大拇指生气地说：

méng kǎ huǒ tuǐ gēn běn méi yǒu zhǔ
"蒙卡，火腿根本没有煮

shú tài yìng le nǐ lái shì shi
熟，太硬了。你来试试！"

yú shì méng kǎ zhàn dào yǐ zi shang
于是，蒙卡站到椅子上，

jǔ qǐ lìng yì bǎ cān dāo yòng lì xiàng
举起另一把餐刀用力向

huǒ tuǐ kǎn qù
火腿砍去。

méng kǎ měng de yì lā huǒ tuǐ cóng pán zi shang diào xià lái gǔn dào le

蒙卡猛地一拉，火腿从盘子上掉下来，滚到了

cān zhuō xia dà mǔ zhǐ shuō suàn le bié guǎn tā men le gěi wǒ lái kuài

餐桌下。大拇指说：“算了，别管它们了，给我来块

yú ba kě shì yú yě láo láo de zhān zài pán zi shang zěn me yě nòng

鱼吧！”可是，鱼也牢牢地粘在盘子上，怎么也弄

bú xià lái

不下来。

大拇指生气极了，他把火
腿放到地板中间，然后举起铲
子用力砸去。火腿被打碎了，
碎片溅得满地都是。原来，这
块火腿是用石膏做成的。

大拇指和蒙卡感到非常愤怒，也非常失望。
他们一气之下又打碎了布丁、虾，还有梨和橙子。

由于鱼牢牢地粘在盘
子上，无法取下来，他
们便将鱼和盘子一起
丢进了厨房的火炉里。

大拇指爬上厨房的烟囱，从烟囱顶向外看去，他没看到一丝烟灰。原来，那些火苗是用红色的皱纹纸做成的，所以鱼和盘子都没有烧坏。

10

dà mǔ zhǐ pá shàng yān cōng de shí hou， méng kǎ zài wǎn guì shang zhǎo dào
大拇指爬上烟囱的时候，蒙卡在碗柜上找到

le yì xiē xiǎo guàn zi， shàng miàn tiē zhe dào mǐ、 kā fēi、 xī mǐ de biāo qiān
了一些小罐子，上面贴着稻米、咖啡、西米的标签。

kě shì， dāng tā jiāng guàn zi li de dōng xi dào chū lái shí， kàn dào de què shì
可是，当她将罐子里的东西倒出来时，看到的却是

hóng sè hé lán sè de xiǎo zhū zi！
红色和蓝色的小珠子！

于是，两只小
老鼠开始捣蛋了。
大拇指从简的衣柜
里拉出她的衣服，
从窗口扔了出去。蒙卡本来准备把露辛达枕头里
的羽毛掏出来扔掉，但她猛然想起自己曾经希望
有一张铺满羽毛的睡床。

于是，在大拇指的协
助下，蒙卡将枕头拖到了
楼下，然后穿过壁炉前的
地毯，拖到了老鼠洞前。

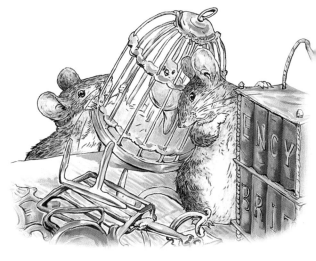

méi duō jiǔ　　méng kǎ yòu fǎn
没多久，蒙卡又返

huí wán jù xiǎo wū　tuō huí yì bǎ
回玩具小屋，拖回一把

yǐ zi　　yí gè shū jià　　yì zhī niǎo
椅子、一个书架、一只鸟

lóng　hái yǒu qí tā yì xiē xiǎo dōng
笼，还有其他一些小东

xi　bú guò　shū jià hé niǎo lóng tài dà le　tā men zěn me yě bān bú jìn
西。不过，书架和鸟笼太大了，他们怎么也搬不进

shǔ dòng　méng kǎ jiāng shū jià hé niǎo lóng diū zài méi xiāng hòu miàn　jiē zhe
鼠洞。蒙卡将书架和鸟笼丢在煤箱后面。接着，

tā yòu hé dà mǔ zhǐ tuō huí yì zhī yáo lán
她又和大拇指拖回一只摇篮。

13

蒙卡正拖着另一把椅子回鼠洞的时候，忽然听到屋外的走廊上传来人说话的声音。两只小老鼠急忙逃回他们的洞里。这时，洋娃娃们走进了婴儿室。

房间里乱极了！露辛
达跌坐在被掀翻的炉灶上，
惊得目瞪口呆，而简则靠
在厨房的碗柜上，脸上露
出一丝苦笑。不过，她们
谁都没有说什么。

她们俩在煤箱后面找到了书架和鸟笼。但是，
她们很快就发现摇篮和简的一些衣服不见了。

另外，她们发现
一些炊具及其他有用
的东西也丢失了。

露辛达说："我要买
一个穿警服的洋娃娃！"
简却说："我要在屋里放
一只捕鼠器！"

不过，大拇指和
蒙卡还不是特别特
别淘气，因为后来他
们赔偿了打碎的所
有东西。

原来，大拇指在壁炉
前的地毯下发现了一枚
遗失的硬币，面值六便
士。在圣诞节前夜，他们
将硬币塞进了露辛达的
一只长筒袜里。

另外，每天清晨，当人们还没有从睡梦中醒来时，蒙卡便拿着她的簸箕和笤帚来到玩具小屋，将这里打扫得干干净净。

裁缝和小老鼠的故事

很久以前,有一座名叫格罗斯特的城市。在城市的西门街上,一个老裁缝开了一家小店铺。

每天,老裁缝都盘腿坐在窗边的工作台上,从早晨一直工作到黄昏。尽管这位裁缝能够缝制美丽的衣服,但是他仍然非常贫穷。

老裁缝做衣服时，总是根据布料的大小进行裁剪，所以他从来都不会浪费布料。他的工作台上放着一些裁剪剩下的布片，这些布小得只能给老鼠做背心。

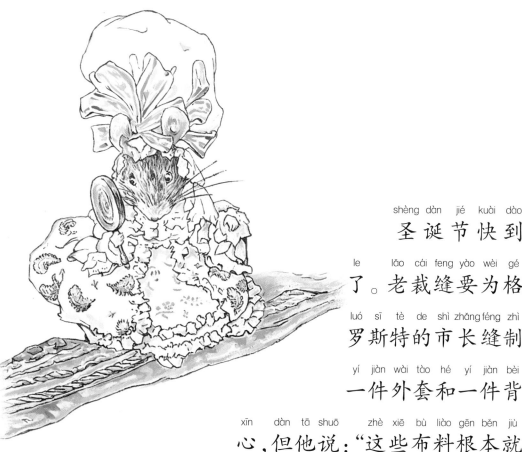

shèng dàn jié kuài dào
圣诞节快到
le lǎo cái feng yào wèi gé
了。老裁缝要为格
luó sī tè de shì zhǎng féng zhì
罗斯特的市长缝制
yí jiàn wài tào hé yí jiàn bèi
一件外套和一件背
xīn dàn tā shuō zhè xiē bù liào gēn běn jiù
心,但他说:"这些布料根本就

bú gòu tā men zhǐ néng gěi lǎo shǔ zuò yī fu gěi rén zuò duàn dài
不够,它们只能给老鼠做衣服,给人做缎带!"

dàn lǎo cái feng réng bù tíng de máng lù zhe bù jiǔ yǐ hòu yí qiè dōu
但老裁缝仍不停地忙碌着,不久以后,一切都

yǐ zhǔn bèi qí quán zhǐ quē shǎo yì lǚ yīng táo hóng sè de sī xiàn
已准备齐全,只缺少一缕樱桃红色的丝线。

天黑了，老裁缝走出了店铺。晚上店铺里是没有人的，除了一些小老鼠。

在格罗斯特，所有老房子的木板墙后面，都有小老鼠的楼梯和秘密暗门，它们通过这些狭长的通道，可以挨家挨户地乱窜。

老裁缝离开店铺,步履蹒跚地往家里走去。

老裁缝养了一只叫辛普金的猫。白天,他在外面工作,辛普金就守在家中。

今天,老裁缝回到家后,给了辛普金他仅有的四个便士,让他去买一个面包、一袋牛奶、一根香肠和一缕樱桃红色的丝线。

辛普金出去后，老裁缝实在太累了，而且他已经生病了。于是，他疲惫地在壁炉旁坐下来，心里还记挂着给市长做的那件精美的外套。

忽然，老裁缝听见厨房另一头的碗柜里，传来一阵微弱的吵闹声：“滴答，滴答，滴答滴！”他走到厨房里仔细聆听着，凝视着碗柜。“这简直太奇怪了！”老裁缝一边说着，一边将一个倒扣的茶杯拿了起来。

突然，茶杯下走出一只活蹦乱跳的小母鼠，他向老裁缝恭恭敬敬地行了一个礼！然后，他跳下碗柜，从板墙下逃走了。

忽然，碗柜另一边也传来轻微的吵闹声。"太神奇了！"老裁缝说着，将另一个倒扣的茶杯翻了过来。一只小公鼠从茶杯下走出来，向老裁缝深深地鞠了一躬！

老裁缝又回到炉火旁坐下来，悲伤地说："二十一个扣眼，要用樱桃红色的丝线缝！星期六中午一定要完工啊。唉，已经毫无希望了，因为我的丝线不够用了！"这时，小老鼠们又跑了回来，他们仔细听着老裁缝的话。

guò le yí huì er   xīn pǔ jīn tuī kāi fáng mén   pǎo jìn chú fáng   zuǐ
过了一会儿，辛普金推开房门，跑进厨房，嘴

li qì fèn de fā chū yì shēng   wū   miāo   yīn wèi tā fā xiàn tā de
里气愤地发出一声"呜——喵"，因为他发现他的

liè wù   nà xiē bèi kòu zài chá bēi xià de xiǎo lǎo shǔ dōu bú jiàn le
猎物——那些被扣在茶杯下的小老鼠都不见了。

tā shēng qì de jiāng miàn bāo   xiāng cháng fàng zài le wǎn guì shang
他生气地将面包、香肠放在了碗柜上。

xīn pǔ jīn　　　lǎo cái feng wèn dào　　　wǒ de sī xiàn zài nǎ er

"辛普金，"老裁缝问道，"我的丝线在哪儿

ne　　xīn pǔ jīn méi huí dá　xiàng lǎo cái feng tǔ le yì kǒu tuò mo　fā

呢？"辛普金没回答，向老裁缝吐了一口唾沫，发

chū yì shēng fèn nù de páo xiào　　rán hòu jiāng yì xiǎo tuán dōng xi tōu tōu de fàng

出一声愤怒的咆哮，然后将一小团东西偷偷地放

jìn le chá hú

进了茶壶。

29

老裁缝病得非常严重，他躺在床上不停地
打寒战。然而，他仍低声地喃喃自语着："丝线不
够用了！丝线不够用了！"而辛普金却在想着他
的小老鼠。他站在有四根柱子的大床旁边，"喵
喵喵"地叫着。

老裁缝在床上躺了三天三夜。现在，已经是12月24日深夜，圣诞节快到了。大教堂的钟声响了十二下，辛普金听到钟声后，走出了老裁缝的家，开始在雪地中漫游。

31

在格罗斯特所有的屋顶、尖顶山墙和老木屋中,飘出了古老而欢快的圣诞歌曲。这时,一个小阁楼上灯火通明,里面传出一阵阵舞曲,整座城市的猫都来到了这里。

然而,辛普金却来到西门街的裁缝店外面,他发现里面透出明亮的灯光。辛普金悄悄地走了过去。

32

bā zài chuāng kǒu wǎng lǐ miàn kàn xīn pǔ jīn fā xiàn zài míng liàng de
扒在窗口往里面看，辛普金发现，在明亮的

zhú guāng zhōng yì qún xiǎo lǎo shǔ zhèng zài yì biān kuài lè de chàng gē yì biān
烛光中，一群小老鼠正在一边快乐地唱歌，一边

féng zhì zhe suì bù
缝制着碎布。

忽然，歌声被辛普金的叫声打断了，辛普金用爪子使劲地挠着店门想要进去。可是，门钥匙放在老裁缝的枕头下，辛普金进不了门。小老鼠们大笑起来。

34

xiǎo lǎo shǔ men yì biān chàng gē　　yì biān féng zhì piào liang de wài
小老鼠们一边唱歌，一边缝制漂亮的外

tào　tū rán　tā men yòng jiān xì de shēng yīn jiào zhe　sī xiàn méi yǒu
套。突然，他们用尖细的声音叫着："丝线没有

le　sī xiàn méi yǒu le　xīn pǔ jīn tīng dào hòu　fēi cháng xiū kuì
了，丝线没有了！"辛普金听到后，非常羞愧，

tā jué de zì jǐ hé zhè xiē hǎo xīn de xiǎo lǎo shǔ bǐ qǐ lái shí zài
他觉得自己和这些好心的小老鼠比起来，实在

tài huài le
太坏了！

xīn pǔ jīn lí kāi cái feng
辛普金离开裁缝
diàn hòu　zǒu huí le jiā　huí
店后，走回了家。回
jiā hòu　tā cóng chá hú li ná
家后，他从茶壶里拿
chū le yì xiǎo bāo sī xiàn
出了一小包丝线。

qīng chén　lǎo cái feng xǐng
清晨，老裁缝醒
lái hòu　fā xiàn zài tā de pīn
来后，发现在他的拼

huā mián bèi shang fàng zhe yì tuán yīng táo hóng sè de sī xiàn zài tā de chuáng
花棉被上放着一团樱桃红色的丝线。在他的床
biān　zhàn zhe chàn huǐ de xīn pǔ jīn
边，站着忏悔的辛普金！

老裁缝下床 穿好衣服，走出家门，来到大街上。阳光 照耀着雪地，反射出五彩缤纷的光芒。

辛普金欢快地跑在主人的前面。

老裁缝来到裁缝店，刚打开门，辛普金立即跑
了进去。突然，老裁缝兴奋地大叫起来，因为在那
张工作台上铺着一件世上最漂亮的外套，还有一
件绣花的软缎背心。

在外套的前襟

上，绣有玫瑰花和紫

罗兰，而背心的前襟

上绣有矢车菊和罂

粟花。除了一个樱

桃红色的扣眼，所有

的工作都已经完成了。

在那个没有缝好的扣眼旁，用别针别了一张

纸条，上面有细小的笔迹，写着：丝线没有了。

市长对老裁缝的工作非常满意。从那天开始，好运降临在了老裁缝身上。格罗斯特的富商和绅士们纷纷来找老裁缝定做衣服。

老裁缝做的那些衣服非常美丽，最令人惊叹的是那些扣眼，它们制作得非常精细，就像是一只小老鼠的杰作呢！